Este libro pertenece a:

_____

_____

_____

Esta edición ha sido publicada en 2012
Copyright © Parragon Books Ltd

Texto: Gaby Goldsack
Ilustraciones: Caroline Pedler

Copyright © 2007 de la edición española
Parragon Books Ltd
Queen Street House
4 Queen Street
Bath BA1 1HE, Reino Unido

Traducción del inglés: Ana Mª. Lloret para Equipo de Edición, Barcelona
Redacción y maquetación: Equipo de Edición, Barcelona

ISBN: 978-1-4454-4308-9

Impreso en China
Printed in China

Mis cuentos navideños

Bath • New York • Singapore • Hong Kong • Cologne • Delhi
Melbourne • Amsterdam • Johannesburg • Shenzhen

Índice

Carta a Papá Noel

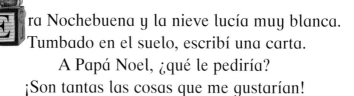

Era Nochebuena y la nieve lucía muy blanca.
Tumbado en el suelo, escribí una carta.
A Papá Noel, ¿qué le pediría?
¡Son tantas las cosas que me gustarían!

Querido Papá Noel:

(con primor escribí)
Espero que estés muy bien
esta carta al recibir.
Seguro que ya sabrás,
como dice mi mamá
que siempre debe ocurrir,
que he sido bueno y veraz.
Así, si todo está bien,
querría por Navidad
un libro, o quizás un tren,
o una bici de verdad.

Cuando hube acabado, mi nombre estampé,
y añadí mil besos una y otra vez.

A la chimenea me acerqué atrevido,
porque ése es el sitio, como es bien sabido,
donde echar las cartas a Papá Noel,
y por eso, por el tubo arriba, mi carta envié.
No sé cómo alcanzan su país helado,
pero ésa es su senda, como está probado.

Esa noche de invierno, cuando el mundo dormía,
pensaba en los juguetes que Noel me traería,
abrigado en mi cama –ni una luz, ni un sonido–,
y a la mañana siguiente, ¡qué divertido!
Pero ¿qué pasa ahora? ¿Dónde estoy de repente?
¡En un país extraño y en medio de la nieve!

En la blanca nieve se alza una cabaña,
y yo tirito de frío junto a la ventana.
Iré hasta el taller de Papá Noel;
no me verá nadie si me escondo bien.
¡Chis! Muy calladito entro de puntillas
a ver dónde crean tantas maravillas.

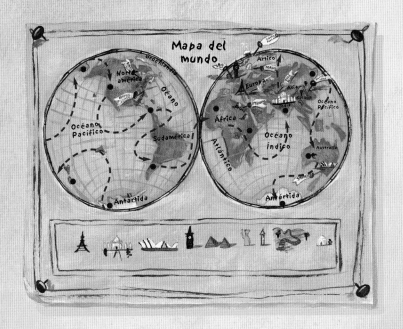

Mapa del mundo

Montones de cartas Papá Noel va leyendo;
ahí está la mía, hacia el suelo cayendo.
Un mapa en la pared le mostrará el camino
de todos los hogares en que esperan los niños.
Y para que ninguno pueda ser olvidado
figuran instrucciones en todos los tejados.

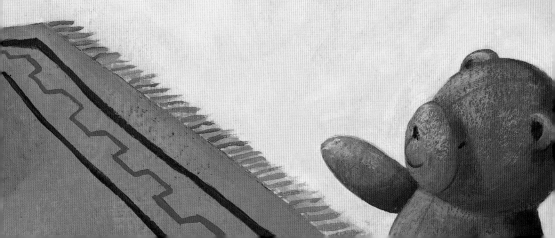

Muy atareados veo ahora a los duendes:
uno construye muñecas y otro coches de juguete.
Y uno pinta un tren, y otro hace una casa,

y otro a una avioneta le pone las alas.
Otro duendecillo corre en bicicleta,
¡la que yo quería es igual que ésta!

Ésta es la estancia de envolver los regalos,
que primero se han medido con mucho cuidado.
Se adornan con lazos, se atan con cintas,
y todos parecen tener mucha prisa.
Para que Papá Noel no cometa errores
en una tarjeta se escriben los nombres.

Aquí hay otros duendes vistiendo a Papá Noel:
sombrero y casaca, planchados muy bien.
Las botas están lustrosas y resplandecientes,
¡ojalá fueran mías de repente!
Pienso que este cuarto es interesante
porque aquí Noel se pone elegante.

Ahora en el taller la cinta se para,
tal vez un tornillo el problema causa.
Los duendes se inquietan, hay miedo en el aire,
pero Papá Noel llega, todo va a arreglarse.
Pronto los paquetes emprenden su vuelo,
y ya en el establo llenan el trineo.

28

Fuera del establo, esperan los renos,
y compruebo que son ocho cuando los recuento.
Sus campanas brillan, así como sus pezuñas,
los duendes las bruñen al claro de luna.
Fulgen sus arneses, reluce su pelo,
los renos se agitan, ¡es casi el momento!

El trineo ya está cargado y los renos están listos,
y Papá Noel les grita: «¡Adelante, pero tranquilos!».
Vuelan sobre las nubes, pasan sobre los cerros,
galopando veloces atraviesan los cielos.
Muy pronto, en la distancia, divisan los tejados;
bajo ellos, los niños como yo esperan los regalos soñados.

Ya es Navidad cuando me despierto.
¡Papá Noel ha pasado, igual que en mi sueño!
Mi calcetín rebosa mil golosinas
y en ese paquete un tren se adivina.
¡Una bicicleta hay junto a mi cama!
¡Papá Noel, sin duda, recibió mi carta!

Canción
de
Navidad

En el viejo Londres, en el día de Nochebuena,
un ceñudo Ebenezer Scrooge miraba hacia fuera.
«¡Feliz Navidad!», le gritó su sobrino,
«vendrás a cenar con nosotros, tío?».
«¡Bah, paparruchas!, gruñó Scrooge enfadado,
vete de aquí, a mí la Navidad nada me ha dado».

El pobre Cratchit, su oficinista, un esforzado trabajador,
le preguntó: «¿Mañana es fiesta, verdad, señor?».
Scrooge refunfuñó, pues era muy avaro y agarrado.
«¿Supongo que quieres el día pagado?»
Odiaba las fiestas porque era roñoso.
No compadecía al mendigo ni al menesteroso.

Aquella noche, en la soledad se hallaba envuelto
cuando oyó arrastrar las cadenas de un espectro.
Entonces, vio al pobre Marley, que en días más dichosos
fue su socio y, como él, egoísta y roñoso.
«Scrooge», gimió el fantasma, «a advertirte he venido,
si no corriges tu actitud tu fin será como el mío».

«Bien entrada la Nochebuena,
tres espíritus vendrán a enseñarte la senda.»
Dicho esto, el espectro de Marley se esfumó,
dejando a Ebenezer Scrooge solo y con gran terror.
Él, desalentado, se deslizó en su lecho
y se quedó dormido, a pesar de su miedo.

El reloj dio la una en un ambiente helado,
y Ebenezer Scrooge se despertó asustado.
En la oscuridad forzó la mirada
y descubrió un espíritu en su propia estancia.
«¡Sígueme!», le dijo a un Scrooge pasmado.
«¡Soy el fantasma de las Navidades de Tiempos Pasados!».

El fantasma le llevó a las Navidades de tiempos lejanos,
cuando Scrooge tenía un corazón tierno, no triste y helado.
Vio a Fezziwig, su jefe, y a Ann, su hermana.
«Entonces era feliz y no un gruñón», se lamentaba.
Después de ir recordando cada Navidad,
gritó: «¡No lo aguanto más! ¡Regresemos ya!».

En un abrir y cerrar de ojos, Scrooge volvió a su cama.
Allí se vio abordado por un jovial fantasma.
«De la Actual Navidad soy el fantasma bueno;
sígueme para ver lo que mostrarte quiero.»
En el hogar de Cratchit, la fiesta celebraban,
y pese a su pobreza reían y cantaban.

Toda la familia se hallaba reunida,
y ante la cena sencilla se mostraba muy bien avenida.
«¡Que Dios nos bendiga!», gritó Tim contento,
sin oírse el más pequeño lamento.
El espíritu dijo: «El pequeño Tim será siempre cojo,
pero es muy alegre, a pesar de todo».

Aquel espíritu se fue, pero enseguida otro llegó,
ante Scrooge una horrible criatura apareció.
No dijo una palabra y parecía mudo,
era el fantasma de la Navidad del Futuro.
En el cementerio, una tumba con flores le mostró;
¡qué gran tristeza, fue Tim quien falleció!

Scrooge vio su tumba sola y abandonada
en aquel cementerio donde nadie le lloraba.
Vagando por las calles, estas palabras había escuchado:
«El viejo avaro ha muerto y nadie le ha llorado».
Cuando el fantasma se fue, Scrooge hizo algo sorprendente:
se arrodilló y exclamó: «¡Debo cambiar rápidamente!».

Un instante después, Scrooge se despertó en su cama
y dijo alegremente, corriendo hacia la ventana:
«¡No me he perdido nada! ¡Aún es Navidad!».
Y gritó: «¡A todos os deseo mucha felicidad!».
Detuvo a un joven y le pidió humildemente:
«Por favor, lleva este pavo a los Cratchit seguidamente».

Cargado de regalos y desafiando el frío,
fue a ver a su sobrino como un buen tío.
Y así empezaba un nuevo y maravilloso día,
repleto de placeres, de juegos y alegría.
Scrooge había dejado de ser avaricioso
y ahora era un hombre generoso.

La Nochebuena

Era Nochebuena, y en toda la casa
no se veía ni movía nada.
Los calcetines de la chimenea colgaban,
pues a Papá Noel todos esperaban.

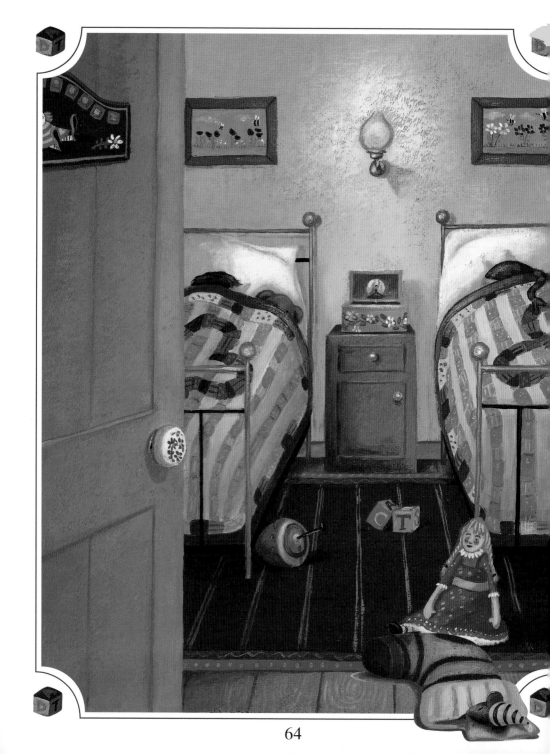

64

Los niños se acurrucaron, calientes en sus camas,
visiones de confites en sus mentes danzaban.
Mamá y yo, después de tanto ir y venir,
nos disponíamos sin demora a dormir.
Al oír que del jardín venía una gran algarabía
salté de la cama para ver qué ocurría.

Hacia la ventana volé como un relámpago,
abrí los postigos y después el marco.
La luna brillaba en la nieve recién caída
y a todos los objetos daba vida.
De pronto mis ojos descubrieron
un trineo menudo y ocho pequeños renos.

El cochero era viejecito, rápido y vivaz,
era Papá Noel, no lo podía dudar.
Sus renos llegaban como águilas veloces,
él silbaba y gritaba y decía sus nombres.

¡Bailón!, ¡Presumido! ¡Zorro y Cabriolero!
¡Cometa! ¡Cupido! ¡Señor! ¡Bombardero!
¡A lo alto del muro! ¡A lo alto del porche!
¡Corred todos! ¡Corred todos al galope!

Como las hojas que vuelan en el viento,
danzando ágiles hasta el cielo,
hasta el tejado los renos llegaron
y a Papá Noel y a los juguetes llevaron.
Después, súbitamente, oí en el tejado
de los pequeños renos las cabriolas y pasos.

Pasada mi sorpresa, estaba inspeccionando
cuando Papá Noel salió del hogar saltando.
De pies a cabeza de pieles se vestía,
salpicadas sus ropas de hollín y cenizas tenía.
Un saco de juguetes lleva en la espalda;
parece un buhonero que fuera a abrir su carga.

Sus ojos eran brillantes y su nariz a una cereza recordaba,
y su pequeña boca un curioso arco formaba.
Sus mejillas eran rosadas y muy graciosos sus hoyuelos,
y su enorme barba blanca albergaba miles de pelos.

Aprieta la pipa con sus dientes sin pereza,
y una espiral de humo corona su cabeza.
Tiene la cara ancha y un poco de barriga,
que se agita al reír como si fuese gelatina.

Rechoncho y mofletudo apareció el hombrecillo,
al verme, su sonrisa desprendió un gran brillo.
Un gesto con la cabeza y de sus ojos un guiño
me lanzaron su mensaje: no temas nada, niño.

Sin decir una sola palabra su trabajo realizó,
llenó los calcetines y con un salto se giró.
Luego, en la nariz un dedo apoyó,
con la cabeza saludó y por la chimenea se marchó.

Saltó a su trineo e hizo sonar su silbato,
y los renos se fueron volando de inmediato.
Pero al alejarse, aún le oí exclamar:
«¡A todos buenas noches y feliz Navidad!».

El
Cascanueces

Una Nochebuena fría y escarchada
el hogar de Stahlbaum festivo brillaba.
Dan luz en el árbol velas centelleantes.
Llegan invitados, todos muy elegantes.
Clara y Fritz baten palmas al contemplar, felices,
figuras de azúcar, bombones y confites.

El señor Drosselmeyer fue el último en llegar
y a todos ofreció regalos que admirar.
Clara y Fritz se mostraron muy sorprendidos
al ver a dos enormes muñecos muy divertidos.
Los niños se alegraron al comprobar
que los muñecos mágicos empezaron a bailar.

Su mejor regalo, Drosselmeyer para el final había reservado;
Clara era su destinataria y contempló al cascanueces-soldado.
Llevaba un elegante uniforme y era muy hermoso.
A la niña le pareció realmente asombroso.
Pero antes de que Clara las gracias pudiera dar,
Fritz rompió el Cascanueces muy a su pesar.

El señor Drosselmeyer amable y bueno era,
y al pobre Cascanueces le pegó su brazo de madera.
Después de comer, bailar y jugar,
el señor Drosselmeyer en su trineo decidió marchar.
Desde la puerta, los niños le quisieron despedir,
y con buen ánimo se fueron a dormir.

Avanzada la noche, el rey de la casa el silencio era,
Clara se alzó de la cama y bajó la escalera.
Entre los mil presentes buscaba su regalo:
el pobre Cascanueces con el brazo pegado.
Acurrucada, con el juguete contra su pecho,
quiso pasar la noche en un nuevo lecho.

Muy pronto, la niña se despertó asustada,
mil ruidos rompían la noche callada.
De un salto se sentó, y vio con ojos asombrados,
que los juguetes de tamaño habían aumentado.
Su precioso Cascanueces se erguía, fuerte y alto,
y ella se sintió muy pequeña cuando estuvo a su lado.

Soldaditos de plomo, tras él forman una hilera,
y con sus mosquetes están dispuestos para la guerra.
Un tropel de ratones se introduce en la estancia
y a la luz de la luna se encaran con arrogancia.
El ratonil ejército, a las órdenes de su Rey,
ataca a los soldados con todas las de la ley.

Cascanueces daba órdenes a sus soldados lo mejor que podía,
pero el enemigo los superaba en número y su ruina presentía.
Cuando su amigo cayó en el suelo, Clara se descalzó,
apuntó hacia al Rey Ratón y el zapato le lanzó.
Los soldados saltan de alegría al ver al Rey derribado.
Los ratones han sido vencidos y los juguetes, triunfado.

103

Clara miró a los ojos del muñeco profundamente,
y quedó maravillada enormemente.
Durante la batalla, o quizás en aquel instante,
el juguete se había convertido en un príncipe elegante.
El apuesto personaje miró a la niña y le rogó con dulzor:
«Ven, mi querida Clara, partamos sin temor».

El príncipe llevó a Clara hasta un mágico trineo
que a través de la noche, los condujo muy lejos.
Bajo las estrellas que centelleaban,
los copos nocturnos de nieve danzaban.
El príncipe le dijo a Clara: «Este baile es para ti,
pero no paremos, sigamos hasta el fin».

Viajaron hasta un reino llamado Dulcilandia,
país de golosinas, alegrías y danzas.
Allí, el Hada Ciruela, tan dulce y amable,
sobre la pista de hielo realizó un baile.
Imitándola, los dulces del mundo bailaron,
y sus locos giros a Clara marearon.

De repente, Clara bruscamente se despertó
y a su Cascanueces entero encontró.
¿Su aventura había sido lo que parecía
o había soñado una fantasía?
Muy pronto, esta duda se disipará,
ya que Fritz le desea: «¡Feliz Navidad!».

Los doce días de Navidad

El primer día de Navidad
mi enamorado me regaló con ilusión
una perdiz en un peral de salón.

El segundo día de Navidad
mi enamorado me regaló con ilusión
dos tórtolas
y una perdiz en un peral de salón.

El tercer día de Navidad
mi enamorado me regaló con ilusión
tres gallinas francesas,
dos tórtolas
y una perdiz en un peral de salón.

El cuarto día de Navidad
mi enamorado me regaló con ilusión
cuatro aves canoras,
tres gallinas francesas,
dos tórtolas
y una perdiz en un peral de salón.

El quinto día de Navidad
mi enamorado me regaló con ilusión
cinco anillos de oro,
cuatro aves canoras,
tres gallinas francesas,
dos tórtolas
y una perdiz en un peral de salón.

El sexto día de Navidad
mi enamorado me regaló con ilusión
seis ocas poniendo,
cinco anillos de oro,
cuatro aves canoras,
tres gallinas francesas,
dos tórtolas
y una perdiz en un peral de salón.

El séptimo día de Navidad
mi enamorado me regaló con ilusión
siete cisnes nadando,
seis ocas poniendo,
cinco anillos de oro,
cuatro aves canoras,
tres gallinas francesas,
dos tórtolas
y una perdiz en un peral de salón.

El octavo día de Navidad
mi enamorado me regaló con ilusión
ocho criadas ordeñando,
siete cisnes nadando,
seis ocas poniendo,
cinco anillos de oro,
cuatro aves canoras,
tres gallinas francesas,
dos tórtolas
y una perdiz en un peral de salón.

El noveno día de Navidad
mi enamorado me regaló con ilusión
nueve damas bailando,
ocho criadas ordeñando,
siete cisnes nadando,
seis ocas poniendo,
cinco anillos de oro,
cuatro aves canoras,
tres gallinas francesas,
dos tórtolas
y una perdiz en un peral de salón.

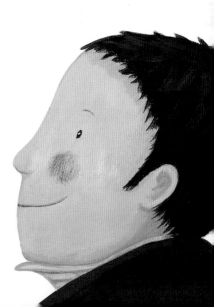

El décimo día de Navidad
mi enamorado me regaló con ilusión
diez caballeros saltando,
nueve damas bailando,
ocho criadas ordeñando,
siete cisnes nadando,
seis ocas poniendo,
cinco anillos de oro,
cuatro aves canoras,
tres gallinas francesas,
dos tórtolas
y una perdiz en un peral de salón.

El undécimo día de Navidad
mi enamorado me regaló con ilusión
once flautistas soplando,
diez caballeros saltando,
nueve damas bailando,
ocho criadas ordeñando
siete cisnes nadando,
seis ocas poniendo
cinco anillos de oro,
cuatro aves canoras,
tres gallinas francesas,
dos tórtolas
y una perdiz en un peral de salón.

El duodécimo día de Navidad
mi enamorado me regaló con ilusión
doce tamborileros redoblando,
once flautistas soplando,
diez caballeros saltando,
nueve damas bailando,
ocho criadas ordeñando,
siete cisnes nadando,
seis ocas poniendo,
cinco anillos de oro,
cuatro aves canoras,
tres gallinas francesas,
dos tórtolas
y una perdiz
en un peral de salón.

El pequeño abeto

A la sombra de grandes árboles centenarios
un abeto creció en uno de los más bellos escenarios.
Con crueldad se burlaba de él un árbol gigantón:
«Eres un enano y tienes que crecer; no seas llorón».
Pero otro le dijo: «No estés triste, del bosque disfrutarás,
vive con alegría, pronto tú también crecerás».

Pasaron dos inviernos y los árboles talaron.
Desprovistos de ramas, a los troncos lejos enviaron.
«¿Adónde se dirigirán?», el abeto se preguntó.
«Al océano, como mástiles de veleros», se respondió.
«¡Quisiera ser más alto!», el pequeño árbol deseó,
«y convertirme en un mástil para poder navegar», añadió.

La Navidad se acercaba y los leñadores llegaron,
y los altos abetos de los bosques talaron.
«¡Qué árboles tan preciosos!», un petirrojo exclamó.
«Los guardan en las casas y los cubren de adornos», añadió.
«¡Oh, qué suerte la suya!», dijo el pequeño abeto,
«mejor que navegar, me encantaría esto».

Transcurrió otro año y la Nochebuena de nuevo llegó.
«Vienen los leñadores», un ave gorjeó.
«¡Cielos, qué belleza!», se oye al leñador exclamar,
mientras desarraiga el abeto, que el temblor no puede evitar.
Al sentirse desligado de la tierra, el abeto parece suspirar.
«Llegó el momento de mis cualidades mostrar».

Pero no estaba contento de tener que irse,
y se mostró lloroso y muy triste.
A las aves, conejos y ciervos convocó,
pues eran sus amigos juntos a los que creció.
Tras la despedida, muy lejos se lo llevaron,
cargado en un viejo trineo, por el camino arrastraron.

Bajo la luz de la luna, llegaron a una gran casa,
y al abeto introdujeron en una espléndida estancia.
Adornado con cintas, lazos y velas,
refulgía el árbol de pies a cabeza.
Los niños aplaudían y gritaban con alegría,
y el hermoso abeto con orgullo se erguía.

Y ya por la mañana, de su ramas verdes,
los niños descolgaron montones de presentes.
Después vino el banquete y la hora de bailar.
Tan feliz era el árbol que se puso a pensar:
«Estos nuevos amigos son gentiles y me adoran,
ya no debo estar triste, los buenos sentimientos afloran».

Acabado ya el día, una historia se contó,
llena de hazañas gloriosas que al abeto deslumbró.
Y cuando terminó, se inclinó con agrado,
todos se despedían y el día había acabado.
«Estoy contento de haber venido», el abeto pensó,
«¿habrá mañana más cosas buenas?», se preguntó.

«Yo pertenezco a este lugar», pensó el orgulloso abeto.
Pero el día amaneció y vio que no estaba en lo cierto.
Lo arrastraron hacia afuera sin miramientos;
eran inevitables los malos pensamientos.
Ya en el cobertizo oscuro oyó que algo chillaba;
escuchó unas pisadas, algo pasaba.

Un ratón blanco le preguntó: «¡Hola!, ¿qué haces aquí?
Cuéntanos tu historia, te sentirás más feliz».
Y el abeto les contó historias de su infancia pasada,
de animales y pájaros, de la nieve encrespada.
Mientras los ratoncitos asombrados le oían,
las cualidades del bosque el árbol comprendía.

Y en el cobertizo estuvo durmiendo
soñando con los bosques y con el aire fresco.
Le sobresaltaron unas voces alegres,
eran de unos niños que buscaban juguetes.
«¡Mira!, es nuestro abeto», una voz gritó,
«limpiémoslo y plantémoslo», añadió.

Y a partir de entonces, con una gran presencia,
nuestro abeto adquirió fuerza y prudencia.
Ahora, en el jardín crece el gran abeto
y su sabiduría esparce por el viento.
«La juventud es una bendición y la naturaleza, lo mejor.
Vive ese momento plenamente y sin temor».

La primera Navidad

Nuestra historia empieza en Nazaret.
María, una doncella, va a esposar a José.
Pero un día el ángel Gabriel aparece
y le dice a María: «No temas al verme.
Has sido elegida para dar a luz al Hijo de Dios.
Jesús será su nombre. Y será el Salvador».

María, inquieta, piensa lo que José dirá
al saber que en su boda ella encinta estará.
Pero Gabriel da a José una buena nueva:
«El Hijo de Dios, Rey de los Judíos, en sus entrañas lleva».
Así, José y María, felizmente unidos,
esperan al Hijo que ella ha concebido.

Un día, las autoridades un edicto deciden proclamar:
los habitantes se deben empadronar.
María montada en el asno y José andando
recorren el camino que a Belén les está llevando.
Sin apenas descansar, día tras día viajaron,
hasta que, finalmente, a Belén llegaron.

Llegaron a la ciudad y albergue buscaron:
«El nacimiento es inminente», ambos pensaron.
Dondequiera que iban, lo mismo les decían:
«Lo siento, está completo». Y ellos proseguían.
«Tengo un pequeño establo», les dijo un posadero finalmente,
«tiene paja para hacer un lecho y resulta muy caliente».

Están los animales, antes que rompa el día,
esperando a Jesús, que nacerá en la establía.
Todos se regocijan cuando allí estirado
ven al bebé dulcemente cuidado.
Pero ellos no saben, ¡cómo podían saberlo!,
que será el Salvador aquel niño tan tierno.

En lo alto de los montes, en la noche dichosa,
despertó a los pastores una luz prodigiosa.
«No temáis», dijo un ángel. «Traigo buenas noticias.
Dios quiere que vosotros ayudéis a esparcirlas.
Porque ha nacido un Niño que ha de traer la paz
y alegría a los hombres de buena voluntad.»

Al final del día, los pastores sus rebaños guardaron
y hacia el establo se encaminaron.
Ante Jesús se postraron y oraron con gran honor:
«¡Gloria a Dios en los cielos por nuestro Salvador!».
Todo cuanto habían oído a María quisieron contar,
y más tarde partieron para la noticia anunciar.

Detrás de las colinas, en un lugar interesante,
tres magos descubrieron una estrella brillante.
Los magos sabían por un antiguo texto
que el luminoso astro anunciaba un real nacimiento.
Los tres personajes viajaron noche tras noche
siguiendo al astro, resplandeciente como un broche.

A la ciudad de Jerusalén al final llegaron,
y allí al rey Herodes preguntaron:
«¿Conoces al nuevo Rey de los Judíos?
Siguiendo su estrella hasta aquí vinimos».
Herodes se enfureció tras estas palabras escuchar,
sabía bien que otro rey su trono le podía quitar.

Entonces dijo: «Cuando al Rey de los Judíos encontréis,
venid enseguida a decírmelo, no lo olvidéis».
Llevando ricos dones, siguieron su camino,
tratando de encontrar al dulce Jesús Niño.
Al hallarle, de rodillas ante él se pusieron a cantar:
«¡Nuestros dones preciosos son para al Rey alabar!».

En la noche silente, cuando los tres dormían,
Dios les dijo en sueños que Herodes no era lo que creían:
«Al rey Herodes le roen los más amargos celos;
quiere matar al Niño para salvar su reino.
Así, pues, escuchad atentos lo que os digo:
regresad a casa siguiendo otro camino».

Una noche, un ángel a José se apareció;
no debían permanecer en aquel lugar, les avisó.
«Prepara tus cosas y partid», el ángel cantó,
«a la tierra de Egipto hasta que Dios te llame», añadió.
Y Jesús se salvó para enseñar de su Padre la gloria.
Y éste es el fin de tan hermosa historia.

Fin